Khadra

Rue d'Aubagne

CÉCILE LAINÉ

For additional resources, visit:

www.towardproficiency.com

www.youtube.com/user/cecilelaine

ISBN: 978-1-7341686-1-7

TABLE DES MATIÈRES

REMERCIEMENTS

My eternal gratitude goes to the following people:

- My illustrator, Jennifer Nolasco, for bringing my vision to life with her vibrant illustrations
- My colleague, Hakim Hazerzaq, for his firsthand knowledge on Ramadan
- My parents, for their undying support and love
- My former student, Lauren Thacker, for her honest and thoughtful feed-back
- My editor, Anny Ewing, for making sure the final product is spotless and for her wise advice

You made this book possible. *Merci à tous !*

CHAPITRE 1

EN COLÈRE

Samedi 3 juin

Je me mets à courir. Camille me crie : « Khadra, **attends**[1] ! » mais je ne l'attends pas. Je cours. Je cours avec **ma colère**[2]. Je vois le tram qui arrive et je cours un peu plus vite. Je monte dans le tram et je m'assieds.

J'ai beaucoup d'images dans la tête, mais une certaine image **m'obsède**[3] : mon amie Alice et mon grand frère Bilal qui se regardent et se sourient. Je ferme les yeux et je sens ma colère qui monte encore plus. Il faut que je me calme.

Mais pourquoi suis-je en colère exactement ? Alice est ma meilleure amie. Et

---

[1] attends - wait
[2] ma colère = my anger
[3] m'obsède – obsesses me

mon grand frère... c'est mon grand frère, quoi. Ça va, il est cool. Alors, pourquoi suis-je en colère ?

Une autre image arrive dans ma tête : j'ai dit à Alice qu'elle était **une traîtresse**[4]. Oui, ma meilleure amie est une traîtresse. Elle ne m'a pas dit qu'**elle voulait sortir avec**[5] mon frère. Elle ne m'a pas dit qu'elle avait rendez-vous avec mon frère. Mon frère...

Une autre image arrive dans ma tête : mon frère m'a dit qu'Alice avait peur de ma réaction. Alice a peur de moi ? Ma meilleure amie a peur de moi ? Il faut que je me calme.

Le tram arrive à la station Canebière-Capucins. Je descends et je marche. Il y a du soleil sur Marseille aujourd'hui. Je passe devant le marché des Capucins. J'aime les bruits, les couleurs et les odeurs du marché. Mais aujourd'hui, je les ignore et je continue à marcher.

---

[4] une traîtresse – a traitor
[5] elle voulait sortir avec – she wanted to go out with

Je passe devant le marché des Capucins.

J'arrive devant chez moi et je fais le code de la porte d'entrée. Je monte au 3ème étage et j'ouvre la porte. Mes parents sont absents. Ouf ! Je vais dans ma chambre, m'assieds sur mon lit et je ferme les yeux. Ma colère ne passe pas, les images continuent à arriver dans ma tête : Bilal qui sourit à Alice. Alice qui regarde Bilal. C'est ridicule. Il faut que je me calme.

Je décide de travailler sur mon prochain article pour le journal de l'école. Écrire me calme. J'oublie tout quand j'écris. Mais aujourd'hui, je n'arrive pas à me concentrer.

Je vais sur la terrasse. Ma mère a de la menthe dans un grand pot. J'aime l'odeur de la menthe. Je prends quelques feuilles et je vais dans la cuisine me préparer un thé. Je finis enfin par me calmer. Le rituel de la préparation du thé à la menthe me calme. Je sens ma colère tomber. Je retourne sur la terrasse et je bois mon thé lentement. Alice et Bilal. C'est ridicule.

CHAPITRE 2

LA DISCUSSION

Je suis enfin calme, alors je décide de continuer à écrire mon article pour le journal de l'école. C'est un article sur **le bac**[6].

Moi, je suis **en seconde**[7] avec mes deux meilleures amies, Camille et Alice. Je ne passe pas le bac. Mais Bilal qui est **en première**[8] va passer son bac français dans deux semaines. Bilal ne parle pas beaucoup de son stress, mais moi j'ai parlé à beaucoup d'élèves de première et de **terminale**[9] pour comprendre comment **ils gèrent**[10] leur stress. Je travaille sur cet article depuis des semaines. J'oublie tout quand j'écris.

---

[6] le bac – extensive national exam at the end of High School
[7] en seconde – in 10th grade
[8] en première – in 11th grade
[9] terminale – 12th grade
[10] ils gèrent - they manage

Soudain, j'entends la porte d'entrée. Il est six heures. C'est Bilal qui rentre de son rendez-vous avec Alice. Des images arrivent dans ma tête : Bilal qui sourit à Alice. Alice qui regarde Bilal. Je décide d'ignorer ces images. Je suis calme. Je continue à écrire mon article. On frappe **doucement**[11] à ma porte et mon grand frère entre sans attendre de réponse. Je ne veux pas lui parler, je suis calme et concentrée sur mon article.

– Ça va Khadra ? me demande doucement Bilal.

Je ne me retourne pas. Je continue à écrire mon article.

– Khadra, tu veux qu'on parle ? continue Bilal.

Je me retourne et je regarde mon frère calmement :

---

[11] doucement - gently

–Je ne sais pas, c'est urgent ?

Bilal sourit. C'est difficile de résister à son sourire. Quand mon grand frère sourit, c'est difficile d'être en colère. Mais je ne peux pas oublier les images d'Alice et Bilal qui continuent à arriver dans ma tête.

Bilal répond :

– Khadra, j'aime bien ton amie Alice. C'est moi qui l'ai contactée et qui lui ai donné rendez-vous au Glacier du Roi. On a décidé de ne pas t'en parler parce qu'on avait peur que tu te mettes en colère…

Je sens la colère qui monte et je réponds :

–Je ne suis pas en colère après toi, Bilal. Je suis en colère après Alice. Est-ce que tu sais qu'elle nous avait donné rendez-vous au Glacier du Roi aujourd'hui ? AUJOURD'HUI ! Ensuite, elle a annulé le rendez-vous sans nous dire pourquoi. Alors Camille et moi, on a décidé d'y aller

quand même[12] et qu'est-ce qu'on voit ? ALICE ET TOI AU GLACIER DU ROI ! Tu comprends pourquoi je suis en colère ?

Bilal ne répond pas. Il sourit et je vois qu'il est flatté ! Il est flatté qu'Alice ait annulé notre rendez-vous pour lui ! Je crie :

– **Casse-toi**[13] de ma chambre, Bilal !

Il s'en va sans répondre.

---

12 quand même – anyway, all the same
13 casse-toi – get out (slang)

CHAPITRE 3

LA CEINTURE NOIRE

Samedi 10 juin

J'ai passé deux semaines à ignorer Bilal et Alice au lycée. Je ne me suis pas assise avec Alice à la cafétéria. Je ne l'ai pas regardée en classe. Je ne lui ai pas écrit de messages après l'école. Je sais qu'elle a passé les deux semaines à s'entraîner pour son examen de **ceinture noire**[14]. Je sais qu'obtenir sa ceinture noire de Taekwondo est très important pour elle. Je sais qu'elle n'a pas vu mon frère. À la maison, je vois bien que Bilal est un peu triste de cette situation. Ça me fait sourire.

Aujourd'hui, c'est le jour de l'examen de ceinture noire d'Alice. Je sais que c'est un examen très important pour elle. Je sais qu'elle s'est beaucoup entraînée pour cet examen.

---

[14] ceinture noire – black belt

Bilal va aller l'encourager. Camille m'écrit un petit message :

« Tu vas à l'examen d'Alice ? »

Je me demande si je veux encourager Alice. Si je suis honnête avec moi-même, je veux aller l'encourager. C'est ma meilleure amie et aujourd'hui est un jour important pour elle. En plus, elle va **déménager**[15] à Paris et je sais que si je ne vais pas l'encourager aujourd'hui, je vais perdre mon amie pour toujours. Est-ce que je veux perdre ma meilleure amie pour toujours ? Non, mais Alice est une traîtresse. Elle n'est pas honnête avec moi.

Bilal frappe doucement à ma porte et entre sans attendre de réponse.

– Khadra, tu veux aller à l'examen d'Alice avec moi ?

J'hésite.

---

15 déménager – to move (away)

– Non, je ne peux pas. Je dois finir mon article pour lundi.
– Comme tu veux, mais si elle était à ta place, Alice **viendrait t'encourager**[16]...

Je veux répondre, mais Bilal s'en va sans attendre de réponse. Je regarde mon article. Je dois le finir pour lundi, mais c'est une excuse stupide. Je peux le finir demain. Cet article est important pour moi, j'aime écrire et quand j'écris j'oublie tout. Est-ce qu'Alice est importante pour moi ?

Je décide de continuer à écrire mon article sur le bac. Je vais me préparer un thé à la menthe et je travaille deux heures. Je ne veux pas penser à Alice, mais c'est difficile de ne pas penser à elle. Je pense aussi à ce que Bilal m'a dit : « Si elle était à ta place, Alice viendrait t'encourager… »

Est-ce qu'Alice a obtenu sa ceinture noire ? Elle s'est beaucoup entraînée pour cet examen.

[16] viendrait t'encourager – would come to encourage you

Finalement, je décide d'écrire un petit message à mon frère. Je prends mon portable et j'écris :

« Est-ce qu'Alice a obtenu sa ceinture noire ??? »

CHAPITRE 4

RUE D'AUBAGNE

J'attends quelques minutes, mais je n'ai pas de réponse de Bilal. L'examen ne doit pas encore être terminé. Je me demande si **je devrais**[17] y aller. Je me demande si je veux encourager Alice. Finalement, je décide d'aller **prendre l'air**[18]. Je descends dans la rue et je marche en direction du marché des Capucins. J'arrive rue d'Aubagne et je regarde les vieux **immeubles**[19], les petites boutiques qui sont fermées le dimanche, et tous les graffitis sur les murs. J'aime mon quartier. Il est très vieux et j'y suis chez moi.

Je passe devant le 63 rue d'Aubagne et je regarde l'immeuble. J'habitais dans cet immeuble quand j'étais petite. Je souris. De

---

[17] je devrais – I should
[18] prendre l'air – get some air
[19] immeubles - buildings

bons souvenirs arrivent dans ma tête : Monsieur Kacem qui nous donnait des dattes tous les jours après l'école, Bilal et moi qui courions dans la rue, ma mère qui parlait à **la voisine**[20] depuis sa fenêtre.

Je ne sais pas pourquoi, mais j'ouvre lentement la vieille porte d'entrée. J'entre dans l'immeuble où j'habitais, au 63 rue d'Aubagne.

J'ouvre lentement la vieille porte d'entrée.

20 la voisine – the neighbor

Le hall d'entrée est vieux et en mauvais état. Il n'y a pas beaucoup de lumière. Il y a une mauvaise odeur. Je marche lentement. Je cherche la lumière quand soudain j'entends un bruit. Je n'ai pas peur. Je suis dans l'immeuble où j'ai passé toute mon enfance. Mais si je suis honnête avec moi-même, je ne reconnais pas cet immeuble. Il a beaucoup changé et il est en très mauvais état. Soudain, une voix dit :

– Tu ne devrais pas être là, jeune fille.

Je me retourne et regarde le vieil homme qui a parlé. Je le reconnais : c'est Monsieur Kacem !

– Monsieur Kacem ! C'est moi, Khadra. Vous me reconnaissez ?
– Khadra ?
– Oui ! Je suis la fille de Monsieur Sadoun.
– Ah oui… ***As-salaam alaikum***[21], Khadra. Tu aimes toujours les dattes ? demande-t-il avec un sourire.

---

[21] as-salaam alaikum : peace be upon you (Arabic greeting)

– *Wa alaikum as-salaam*, Monsieur Kacem. Et oui, j'aime toujours les dattes. Comment allez-vous ?

– Doucement. Comme les vieux. Mais, tu ne devrais pas être là, Khadra. C'est dangereux.

– Dangereux ?

– Oui, ma fille. L'immeuble est en très mauvais état. Il y a beaucoup de **fissures**[22] et certains murs sont tombés.

– Ah bon ? C'est terrible ! Mais, et vous Monsieur Kacem, où habitez-vous ?

– Oh moi, je n'ai **nulle part**[23] où aller.

Je ne sais pas quoi dire. Je regarde Monsieur Kacem. Il a toujours habité au **rez-de-chaussée**[24] de cet immeuble. Mais si c'est dangereux, pourquoi habite-t-il encore là ? Est-ce qu'il a de la famille à Marseille ? Je cherche dans mes souvenirs... Mais oui, Monsieur Kacem a un fils !

---

22 fissures : cracks, fissures
23 nulle part : nowhere
24 rez-de-chaussée : ground floor

– Monsieur Kacem, et votre fils ? Il habite toujours à Marseille ? Pourquoi est-ce que vous n'allez pas habiter avec lui ?

Le vieil homme me regarde intensément. Il ne répond pas. Je vois bien qu'il est triste. Je ne sais pas quoi dire. Soudain, je sens mon portable vibrer. Je le prends et je regarde : c'est un message de Bilal !

« Alice a obtenu sa ceinture noire ! On va **fêter ça**[25] chez son père. Tu es invitée. »

[25] fêter ça : celebrate

CHAPITRE 5

CHEZ ALICE

Je dis au revoir à Monsieur Kacem et je quitte l'immeuble. Dans la rue, la lumière me frappe et je suis désorientée quelques secondes. Monsieur Kacem avait l'air si triste. Est-ce que cet immeuble est vraiment dangereux ? Mais pour l'instant, je ne peux pas me concentrer sur Monsieur Kacem. Le message de mon frère m'obsède. Je suis invitée chez le père d'Alice. Je devrais y aller. C'est important pour Alice. Est-ce que c'est important pour moi ? Je prends ma décision et je marche vers la station de tram.

oui Khadra a accepté

Quand j'arrive chez le père d'Alice, j'hésite. Je n'ai pas vraiment parlé à Alice depuis l'incident du Glacier du Roi. Alice qui regarde Bilal. Bilal qui sourit à Alice. Bilal et Alice. Je sonne à la porte de l'immeuble et je dis « C'est Khadra. » Je monte au 6ème étage et je sonne à

- Khadra ne veut pas prends son amie, Alice

- Alice s'est

la porte de l'appartement d'Alice. J'ai un peu peur. C'est Bilal qui ouvre la porte. Il me sourit et me dit :

– Merci d'être venue.
– Où est Alice ?
– Elle est assise sur la terrasse. Elle ne peut pas marcher. **Elle s'est fait mal au pied[26].**

Toute la famille d'Alice est là et quand j'arrive, tout le monde me regarde. Alice marche vers moi avec difficulté et me dit doucement :

– Merci d'être venue. Merci ! Je te demande pardon, Khadra. Je…
– C'est bon... Ça va. Pour l'instant, bravo pour ta ceinture noire, tu es impressionnante !

Alice sourit. Je souris aussi. Camille et Bilal arrivent et on parle de la ceinture noire, de mon article, du bac français, et de la nouvelle

[26] elle s'est fait mal au pied : she hurt her foot

chorégraphie de Camille. Camille prend son portable et fait un selfie avec nous.

(sometimes)

quelqu foi c'est difficile pour moi de demander pardon à un amie parce que Je ne veux pas fâcher l'ami

(make mad)

CHAPITRE 6

MONSIEUR KACEM

Dimanche 11 juin

Je passe mon dimanche à travailler sur mon article et à répondre aux messages d'Alice et Camille. Finalement, je décide de ne plus regarder mon portable et de me concentrer sur mon article. Je suis une perfectionniste. Enfin, je finis mon article vers 19h00. Je décide d'aller prendre l'air. Je vais dans le salon. Mes parents regardent la télé. Ils attendent que **le soleil se couche**[27] pour manger. Mes parents font le Ramadan, mais Bilal et moi, on ne le fait pas. Ma mère me regarde et me dit :

– Ça va, Khadra ?
– Oui, maman, je vais prendre l'air. J'ai beaucoup travaillé aujourd'hui.
– Tu as fini ton article sur le bac ?
– Oui ! Et j'en suis très contente.

[27] le soleil se couche : the sun goes down

– ***Mas'hallah***[28].

Je prends mes clefs et je descends dans la rue. Soudain, je pense à Monsieur Kacem. Est-ce qu'il va bien ? Est-ce qu'il fait le Ramadan comme mes parents ?

Je vais dans la rue d'Aubagne. Quand j'arrive au 63, j'entre dans l'immeuble sans hésitation. Le hall d'entrée est vieux et en mauvais état. Il n'y a pas beaucoup de lumière. Il y a une mauvaise odeur. J'appelle Monsieur Kacem mais il n'y a pas de réponse. Je cherche la lumière, mais en vain.

Avec la lumière de mon portable, je vais vers la porte de l'appartement de Monsieur Kacem. Je frappe à la porte mais il n'y a pas de réponse. Où est Monsieur Kacem ?

Je décide de retourner à la maison. Je vais dans le salon et je demande à ma mère :

---

[28] mas'hallah : bravo (Arabic)

– Maman, tu te souviens de Monsieur Kacem au 63 rue d'Aubagne ?
– Oui ! Un gentil monsieur qui vous donnait des dattes quand vous étiez petits. On ne l'a pas vu à la mosquée depuis un bon moment… Pourquoi ?
– Je l'ai vu. Je suis entrée dans l'immeuble du 63 et j'ai vu Monsieur Kacem.

Ma mère n'est pas contente :

– Khadra, je ne veux pas que tu entres dans ce vieil immeuble. Il y a beaucoup de fissures et certains murs sont tombés. Je suis surprise que Monsieur Kacem y habite encore. Tu es certaine qu'il y habite encore ?
– Oui, enfin... je pense. Il m'a dit qu'il n'avait nulle part où aller. Maman, il a un fils, non ? Est-ce que tu te souviens de son nom ? Est-ce que tu sais où il habite ?
– Oui… Il a un fils qui s'appelle… Mohamed ! Je me souviens, on l'appelait Momo quand il était jeune. Il habitait

aussi à Marseille et il venait voir son père toutes les semaines quand on habitait au 63.

– Merci maman !

CHAPITRE 7

MOHAMED

Je cours dans ma chambre et je cherche Mohamed Kacem sur Internet. J'ai de la chance, il n'y a que deux Mohamed Kacem qui habitent à Marseille. Je prends mon portable et je téléphone au premier, mais personne ne répond. Je dis : « Bonsoir Monsieur, si vous êtes le fils de Monsieur Kacem qui habite au 63 rue d'Aubagne, appelez-moi s'il vous plaît. C'est urgent. Je m'appelle Khadra et mon numéro c'est le 06 52 72 43 76. Merci. »

Je téléphone au second Mohamed. Une voix de femme répond. Je dis :

– Allô ? C'est bien le numéro de Monsieur Mohamed Kacem ?
– Oui, **qui est à l'appareil**[29] ?

---

[29] qui est à l'appareil : who is on the line

– Bonsoir madame. Je m'appelle Khadra, **puis-je**[30] parler à Monsieur Mohamed Kacem, s'il vous plaît ? C'est au sujet de son père.

Il y a un petit silence et ensuite, un homme me parle :

– Oui, bonsoir ?
– Monsieur Mohamed Kacem ?
– C'est bien lui. Qui est à l'appareil ?
– Bonsoir Monsieur. Je m'appelle Khadra et euh… je connais votre père.
– Et alors ?

J'entends de l'impatience et de la colère dans la voix de Mohamed. Je prends mon courage à deux mains et je lui dis :

– Je connais votre père. Il habite dans un immeuble en très mauvais état. Il y a des fissures et un mur est tombé. J'ai peur qu'il ait un accident.

[30] puis-je : may I

Il y a un petit silence. Mohamed répond d'une voix impatiente :

– Je ne parle plus à mon père. Alors, **mêlez-vous de vos affaires**[31]. Au revoir.
– Mais...

La conversation est terminée. Je suis un peu choquée de la réponse de Mohamed. Je lui ai dit que j'avais peur que son père ait un accident dans cet immeuble et il est indifférent ? Je sens la colère qui monte.

[31] mêlez-vous de vos affaires : mind your own business

CHAPITRE 8

L'AÏD EL-FITR

Jeudi 15 juin

Quelle semaine ! D'abord, j'ai donné mon article sur le bac au journal de mon lycée. Tout le monde était content de moi ! Ensuite, j'ai fait beaucoup de **courses**[32] avec ma mère pour la préparation de la fête de l'Aïd el-Fitr, la fin du Ramadan. Tous les soirs de la semaine, des amies et des voisines sont venues à la maison pour nous aider à préparer la fête. Tous les soirs, ma mère, ses amies et nos voisines ont cuisiné. Elles ont préparé de délicieux ***griwech***[33]. Elles ont aussi préparé du ***msemen***[34]. Tous les soirs, j'ai entendu des conversations joyeuses qui venaient de la cuisine. Et dans la maison, il y a de bonnes odeurs de safran, de cannelle et de cumin.

---

32 courses : grocery shopping
33 griwech : honey pastry
34 msemen : flaky pancake

Aujourd'hui, tout le monde est impatient de célébrer la fin du Ramadan ! C'est la fête ! Après l'école, je vais à la cuisine parler à ma mère. Je sais qu'elle a beaucoup de travail avec la préparation de l'Aïd, mais j'ai une idée.

– Maman ? Est-ce qu'on peut inviter Monsieur Kacem à notre fête de l'Aïd ?
– Oui, bien sûr. Tu as son numéro de téléphone ?
– Euh, non mais je peux aller frapper à sa porte ?
– Non, Khadra, je te l'ai déjà dit : cet immeuble est dangereux. Il y a beaucoup de fissures et certains murs sont tombés. N'y va pas et n'y entre pas. Cherche le numéro de téléphone de Monsieur Kacem et téléphone-lui !

Un peu en colère, je vais dans ma chambre et je cherche le numéro de Monsieur Kacem sur Internet. En vain.

Je cherche **si la mairie a reçu des plaintes**[35] au sujet du 63 rue d'Aubagne. Je suis choquée de voir qu'elle en a reçues beaucoup. Vers 19h00, j'entends ma mère qui crie de la cuisine :

– Khadra, j'ai besoin d'**harissa**[36]. Est-ce que tu peux aller m'en chercher ?

Je réponds sans hésitation : « J'y vais maman ! »

Je prends mes clefs et je descends dans la rue. Je marche vers le 63 rue Aubagne. J'arrive devant l'immeuble et j'entre sans hésitation. Je vais vers la porte de l'appartement de Monsieur Kacem. Je frappe à la porte et je crie : « Monsieur Kacem ! C'est moi Monsieur Kacem, c'est Khadra. Ouvrez s'il vous plaît ! »

J'entends un bruit et enfin Monsieur Kacem ouvre la porte. Il me regarde d'un air

---

35 Si la mairie a reçu des plaintes : if the city has received any complaints

36 harissa : seasoning paste consisting of red chili pepper and other spices

surpris :

– Qui êtes-vous ? dit-il.

– Monsieur Kacem, c'est moi, Khadra. Vous me reconnaissez ? *As-salaam alaikum.*

– *Wa alaikum as-salaam*, Khadra. Pardon, je ne vois pas bien. Il n'y a pas beaucoup de lumière dans ce vieil immeuble.

– Monsieur Kacem, mes parents vous invitent à célébrer l'Aïd avec nous.

Monsieur Kacem a l'air encore plus surpris :

– C'est très gentil, Khadra, merci.

– Vous acceptez notre invitation ?

Le vieil homme hésite. Il me regarde intensément. Je lui souris. Finalement, le vieil homme accepte mon invitation. Il va mettre une ***djellaba***[37], mais il veut aussi contribuer à la fête. Je lui dis :

---

[37] djellaba : long North African robe with full sleeves and a hood

– Ma mère a besoin d'harissa.
– Alors, on va aller chercher de l'harissa et des dattes, me répond-il avec un grand sourire.

Finalement, le vieil homme accepte mon invitation. Il va mettre une *djellaba*, mais il veut aussi contribuer à la fête.

CHAPITRE 9

IMPRESSIONNANTE

Monsieur Kacem me parle de son fils, Mohamed. Il me dit qu'ils se sont disputés et qu'il ne l'a pas vu depuis 5 ans. Il ne me dit pas pourquoi ils se sont disputés. Je vois bien qu'il est triste. Je l'écoute. Je sens qu'il a besoin de parler. Mais je ne lui dis pas que j'ai parlé à Mohamed.

Quand nous arrivons chez moi, beaucoup d'invités sont déjà arrivés. Ma mère **embrasse les mains**[38] de Monsieur Kacem et l'invite à prendre un petit gâteau. Je vais sur la terrasse et je vois Alice et Bilal. Alice sourit à Bilal et Bilal sourit à Alice. Mais, je ne me sens pas en colère. Je suis calme. Je décide de leur parler :

– Alors Alice, ça va ?
– Oui, et toi ? me dit Alice.

---

38 embrasse les mains : kisses the hands

– Ça va. Et ton pied ?
– Ça va, merci.
– Tu es prête pour ton déménagement ?

Je vois bien qu'Alice est triste. Bilal lui prend la main et lui sourit. Elle me répond :

– Oui, je suis prête. Je me sens triste, mais je suis prête pour cette nouvelle aventure. J'ai vu ton article dans le journal du lycée, il était super !
– Merci, j'y ai beaucoup travaillé. Bilal, Alice, je dois vous parler. C'est important.

Mon frère et ma meilleure amie me regardent en silence. Je continue :

– Bilal, tu te souviens de Monsieur Kacem au 63 rue d'Aubagne ?
– Oui, bien sûr, répond mon frère, c'est un gentil monsieur qui nous donnait des dattes quand on était petits. Pourquoi ?

Je raconte toute l'histoire[39] à Bilal et Alice. Comment je suis entrée dans le vieil immeuble. Comment j'ai vu Monsieur Kacem. Comment j'ai téléphoné à son fils, Mohamed.

– C'est horrible, dit Alice.
– Oui, dit Bilal, cet immeuble est en mauvais état et un accident peut arriver à Monsieur Kacem.
– Khadra, tu es journaliste, dit Alice, tu peux écrire un article sur la situation et alerter les médias. Tu peux téléphoner à la mairie.
– Oui, c'est une idée, mais il y a déjà eu des articles dans la presse locale et je sais que la mairie a déjà reçu des plaintes. L'urgence, c'est d'aider Monsieur Kacem à quitter cet immeuble en mauvais état.
– Je me demande si Mohamed a vu ces articles, je me demande s'il sait que son père est en danger, dit Bilal.

À ce moment-là, j'ai une idée :

---

[39] je raconte toute l'histoire : I tell the whole story

– Bilal, tu viens de me donner une excellente idée ! Toi aussi, Alice. Je vais préparer un **reportage**[40] *juste* pour Mohamed ! Je vais faire des photos et une vidéo de l'immeuble, je vais filmer Monsieur Kacem, je vais persuader Mohamed de contacter son père, je vais...

Alice et Bilal **éclatent de rire**[41]. Je les regarde avec surprise :

– Quoi ? Qu'est-ce que j'ai dit ?
– Tu es impressionnante, Khadra, dit Bilal, est-ce que je peux t'aider ?
– Moi aussi je veux t'aider, dit Alice.

Je regarde mon frère et ma meilleure amie et je leur souris :

– Qu'est-ce que vous faites demain après l'école ?

---

[40] reportage : news story
[41] éclatent de rire : burst out laughing

ÉPILOGUE

Le 17 juin, Mohamed reçoit un reportage d'une « jeune fille impressionnante » (moi). Il regarde la vidéo et les photos et il écoute mon reportage.

Le 18 juin, Bilal passe son bac de français. Il n'en parle pas beaucoup.

Le 20 juin, Alice déménage à Paris. Bilal est triste. Moi aussi.

Le 25 juin, je vais voir Monsieur Kacem. Son fils est là. Monsieur Kacem n'est plus triste.

Le 15 juillet, Monsieur Kacem quitte le 63 rue d'Aubagne. Pour toujours.

Le 5 novembre, les immeubles du 63 et 65 rue d'Aubagne **s'effondrent**[42], provoquant la mort de 8 personnes.

---

[42] s'effondrent : collapse

IN MEMORY OF THE EIGHT VICTIMS OF THE 63 RUE D'AUBAGNE BUILDING COLLAPSE

PETIT GLOSSAIRE CULTUREL & VISUEL

CHAPITRE 1

1) **Marseille** is located in the south east of France. It is the country's second largest city after Paris.

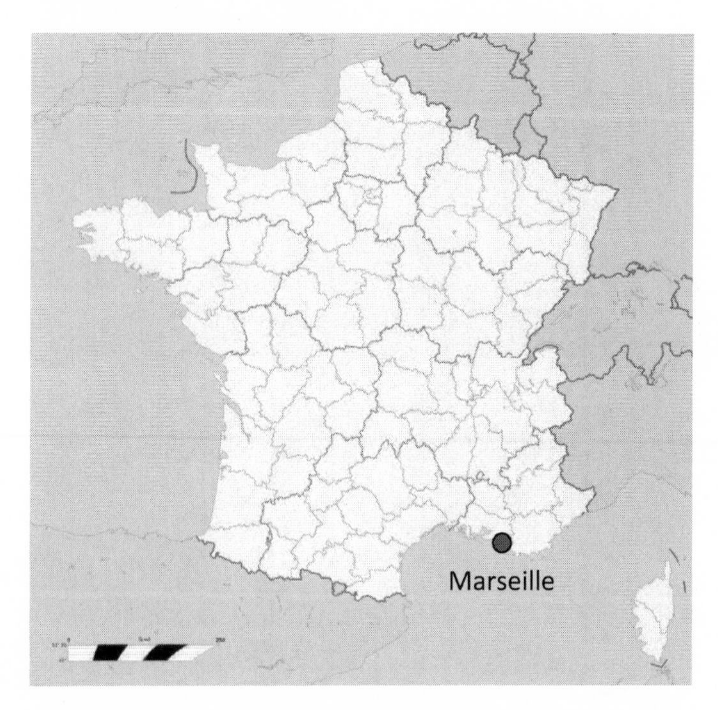

@ Superbenjamin

2) Marseille has a long history of public transportation. The first **tramway** network operated from 1876 to 2004. Most of it was abandoned during WWII except for one line.

ca. 1914

ca. 1920

A brand new tramway network opened in 2007, and now serves 100 000 passengers a day.

@ Superbenjamin

3) **Le marché des Capucins** is located in the 1st arrondissement (district) of Marseille and is open every day except Sunday. You can buy

locally-produced fruits and vegetables, spices, and other goods at a very reasonable price.

CHAPITRE 2

1) **French high schools** start in the 10th grade.

USA	France
10th	seconde
11th	première
12th	terminale

CHAPITRE 6

1) **Ramadan** is the ninth month of the Islamic calendar, observed by Muslims throughout the world as a month of fasting, prayer, reflection, and community. During the month of Ramadan, Muslims should not eat or drink before the sun goes down.

CHAPITRE 8

1) A ***msemen*** is a flaky pancake from North Africa, particularly popular in Morocco, Algeria, and Tunisia. It can be served with ham or with honey. To make a *msemen* yourself, check out:

https://www.marmiton.org/recettes/recette_msemen_371797.aspx

@ Popo le chien

2) **A *griwech*** is a honey pastry from North Africa, particularly popular in Morocco, Algeria, and Tunisia. To make a griwech yourself, check out:

https://www.mesinspirationsculinaires.com/article-griwech-algerien-gateaux-algeriens-109128794.html

@ Indif

3) **Harissa** is a hot chili pepper paste, originally from Tunisia but that has been adopted by Morocco, Algeria, Libya, and Israel.

In France, you can buy harissa in pretty much any supermarket. In the US, you can buy harissa in the international aisle of major supermarkets.

@ Ovva Olfa

GLOSSAIRE

- A -

a – has

à – at, to

absents – absent

accepte – accepts

acceptez – accept

accident – accident

affaires – business

ai – have

aider – help

aime – like, likes

aimes – like

air – air

avait l'air – seemed

un air surpris – looking surprised

ait – has

alerter – to alert

aller – to go

allez – go

arrivons – arrive

allô – hello (one the phone)

alors – so

amie(s) – friend(s)

annulé – cancelled

ans – years

appareil – phone

appartement – apartment

appelait – called

on l'appelait – we called him

appelez-moi – call me

appelle – call, calls

j'appelle – I call

je m'appelle – my name is

après – after

arrive – arrive, arrives

arrivent – arrive

arriver – to arrive

arrives – arrived

aujourd'hui – today

article – article
articles – articles
as – have
assieds – sit down
assise – seated
attendent – wait
attendre – to wait
attends – wait
au – to the
aussi – also
autre - other
aux – to the
avais – had
avait – had
  avait l'air – seemed
  avait peur – was afraid
avec – with
aventure – adventure

- B -

bac – baccalaureate
beaucoup d(e) – a lot of
besoin – need
  a besoin – needs
bien – well
bois – drink
bon(s) – good
bonnes – good
bonsoir – good evening
boutiques – boutiques
bravo – bravo
bruit(s) – noise(s)

- C -

c' – it
  c'est – it is
ça – it
  ça va – I am doing well
caféteria – cafeteria
calme – calm

calmement – calmly

calmer – to calm down

me calmer – to calm myself down

cannelle – cinnamon

casse – breaks

casse-toi – get out

ce – this

ceinture – belt

célébrer – to celebrate

certain – certain

certains – certain

ces – these

cet(te) – this

chamber – bedroom

chance – chance

j'ai de la chance – I am lucky

change – changed

cherche – look for, looks for

chercher – to look for

chez – at the home of

chez moi – at my place

choquée – shocked

chorégraphie – choreography

classe – class

clefs – keys

code – code

colère – anger

en colère – angry

comme – like

comment – how

comprendre – to understand

comprends – understand

concentrée – focused

concentrer – to focus

me concentrer sur – to focus (myself) on

connais – know

contactée – contacted

contacter – to contact

content(e) - happy

continue – continue, continues

continuent – continue

continuer – to continue

contribuer – to contribute

conversation(s) – conmversation(s)

cool – cool

couche – lays down

le soleil se couche – the sun goes down

couleurs – colors

courage – courage

courions – used to run

courir – to run

cours – run

courses – grocery shopping

crie – yell, yells

cuisine – kitchen

cuisine – cooked

cumin – cumin

- D -

d'abord – first

danger – danger

dangereux – dangerous

dans – in

dates – dates

de – of

décide – decide, decides

décidé – decided

décision – decision

déjà – already

délicieux – delicious

demain – tomorrow

demande – ask, asks

déménage – moves away

déménagement – move

déménager – to move

depuis – since, from

des – some, of

descends – go down

désorientée – confused, desoriented

deux – two

devant – in front of

devrais – should

difficile – difficult

difficulté – difficulty

dimanche – Sunday

dire – to say

direction – direction

dis – say, says

discussion – discussion

disputés – argued

dit – says

dois – must

doit – must

donnait – gave

donné – given

donner – to give

doucement – slowly

du – of the

- E -

éclatent – burst

école – school

écoute – listen, listens

écrire – to write

écris – write

écrit – writes

effondrent – collapse

élèves – students

elle – she

elles – they

embrasse – kisses

ème – th, rd

 3ème – 3rd

en – in

encore – even, still, yet

 encore plus – even more

 pas encore – not yet

 habite encore – still lives

encourager – to encourage

enfance – childhood

enfin – finally

ensuite – next

entends – hear

entendu – heard

entraînée – trained

entraîner – to train

entre – enter, enters

entrée – entry

entres – enter

épilogue – epilogue

es – are

est – is

et – and

étage – floor

étais – was, were

était – was

état - state

en mauvais état – in a bad state

êtes – are

étiez – were

être – to be

eu – had

exactement – exactly

examen – exam

excellente – excellent

excuse – excuse

- F -

faire – to do

fais – do

fait – does

ça me fait sourire – it makes me smile

elle s'est fait mal au pied – she hurt her foot

faut – must

il faut que je – I must

faites – do

famille – family

femme – woman

fenêtre – window
ferme – close, closes
fermées – closed
fête – party, celebration
fêter – to celebrate
feuilles – leaves
fille – girl
filmer – to film
fils – son
finalement – finally
fini – done, finished
finir – to finish
finis – finish
fissures – fissures, cracks
flatté – flattered
font – do
français – French
frappe – hit, hits
frapper – to hit
frère – brother

- G -

gateau – cake
gentil – nice, kind
gèrent – manage
graffitis – graffitis
grand – big

- H -

habitais – lived
habitait – lived
habitant – live
habite – live, lives
habité – lived
habiter – to live
habitez – live
hall – hall
hésitation – hesitation
hésite – hesitate, hesitates
heures – hours
histoire – story

homme – man

honnête – honest

horrible – horrible

- I -

idée – idea

ignore – ignore, ignores

ignorer – to ignore

il – he

ils – they

image(s) – image(s)

immeuble(s) – building(s)

impatience – impatience

impatient(e) – impatient

important(e) – important

impressionnante – impressive

incident – incident

indifférent – indifferent

instant – instant

intensément – intensely

Internet – internet

invitation – invitation

invite – invite, invites

invitée – invited

invitent – invite

inviter – to invite

invités – guests

- J -

j' – I

je – I

jeudi – Thursday

jeune – young

jour(s) – day(s)

journal – newspaper

journaliste – journalist

joyeuses – happy

juillet – July

juin – June

juste – just, only

- L -

l' – the, it, him
la – the, it, her
là – there
le – the, it, him
lentement – slowly
les – the, them
leur – to them
lit – bed
locale – local
lui – to him, to her
lumière – light
lundi – Monday
lycée – high school

- M -

m' – me, to me
ma – my
madame – Mrs.
main(s) – hand(s)
mairie – city hall
mais – but
maison – house, home
mal – poorly
  elle s'est fait mal au pied – she hurt her foot
maman – mom
manger – to eat
mauvais(e) – bad
marcher – to walk
marché – market
marche – walk, walks
me – me, to me
médias – media
meilleure(s) – best
mêlez – mix in
même – same
  quand même - anyway
menthe – mint
merci – thank you
mère – mother

mes – my

message(s) – message(s)

mets – put

je me mets – I start

mettes – put

tu te mettes en colère – you would get angry

mettre – to put

minutes – minutes

moi – me

moment – moment

mon – my

monde – world

tout le monde – everyone

monsieur – Mr.

monte – go up

mort – death

mosquée – mosque

mur(s) – wall(s)

- N -

n'… pas – not

n' …plus – no longer

ne … pas – not

ne … plus – no longer

noire – black

nom – name

non – no

nos – our

notre – our

novembre – Novembre

nous – we

nouvelle – new

nulle - no

nulle part – nowhere

numéro – number

- O -

obsède – obsesses

m'obsède - obsesses me

obtenir – to obtain

obtenu – obtained

odeur(s) – smell(s)

on – we

ont – have

où – where

oublie – forget, forgets

oublier – to forget

ouf – phew

oui – yes

ouvre – open, opens

ouvrez – open

- P -

par - to

je finis enfin par me calmer – I finally calm down

parce que – because

pardon – forgive me

parents – parents

parlait – talked

parle – talk, talks

parlé – talked

parler – to talk

pas – not

passe – go in front, go away, spend

passe devant – go in front

ne passe pas le bac – does not take the baccalaureate exam

ma colère ne passe pas – my anger does not go away

passe mon dimanche – spend my Sunday

passé – spent

passer – to take (an exam)

pense – think, thinks
penser – to think

perdre – to lose

père – father

perfectionniste – perfectionist

personne(s) – person(s)

persuader – to persuade, to convince

petite(s) – small
petit(s) – small

peu – little

un peu – a little

un peu plus – a little more

peur – fear
a peur – is afraid
avait peur – was afraid

peut – can

peux – can

photos – pictures

pied – foot

place – place

plaintes – complaints

plaît - pleases

s'il vous plait - please

plus – more
en plus – what's more

ne … plus – no longer

pot – pot

portable – cell phone

porte – door

pour – for, in order to

pourquoi – why

premier – first

première – first

prend – take, takes

prendre – take

prends – take

prends ma décision – make my decision

préparation – preparation

préparé – prepared

préparer – to prepare

presse – press

prête – ready
prochain – next
provoquant – bringing
puis – may

- Q -

qu' – that
quand – when
quartier – neighborhood
que – that
quelle – which
quelques – some
qui – who
quitte – leave, leaves
quitter – to leave
quoi – what
  je ne sais pas quoi dire – I don't know what to say

- R -

raconte – tell
Ramadan – Ramadan
réaction – reaction
reçoit – receive, receives
reconnais – recognize
reconnaissez – recognize
reçu – received
regarde – look at, looks at
regardée – looked at
regardent – watch, look at
regarder – to look at
rendez-vous – date
répond – answers
répondre – to answer
réponds – answer
réponse – answer
reportage – news story
résister – to resist
retourne – come back, comes back
retourner – to come back

revoir – to see again
  au revoir – goodbye
rez-de-chaussée – ground floor
ridicule – ridicule
rire – to laugh
rituel – ritual
rue – street

- S -

s' – himself, herself, itself
sa – his, her
safran – safran
sais – know
sait – knows
salon – living room
samedi – Saturday
sans – without
se – himself, herself, itself
second – second
seconde – 10th grade
seconds – seconds
selfie – selfie
semaine(s) – week(s)
sens – feel
ses – his
si – if
silence – silence
situation – situation
six – six
soirs – evenings
soleil – sun
son – his, her
sonne – ring
sont – are
sortir – to go out
soudain – suddenly
sourient – smile
sourire – smile
souris – smile
sourit – smiles
souvenirs - memories

souviens – remember

je me souviens – I remember

station – station

stress – stress

stupide – stupid

suis – am

sujet – subject

au sujet de – about

super – super

sur – on top of, on

sûr – sure

bien sûr – of course

surprise(e) – surprised

- T -

t' – you, to you

ta – your

taekwondo – taekwondo

te – you, to you

télé – TV

téléphone – call, calls

téléphoné – called

téléphone – to call

tête – head

terminale – 12th grade

terminé(e) – over

terrasse – terrace

terrible – terrible

thé – tea

toi – you

tombé(s) – fallen

tomber – to fall

ton – your

toujours – always

tout – everything

tout le monde – everyone

toute – all, the whole

toutes les semaines – every week

tous – all

tous les jours – everyday

tous les soirs - every evening
traîtresse – traitor
tram – tramway
travail – work
travaille – work, works
travaillé – worked
travailler – to work
très - very
triste – sad
tu – you

- U -

un – a
une – a
urgence – emergency
urgent – urgent

- V -

va – goes
vain – vain
en vain – in vain
vais – go
vas – go
venaient – came
venait – came
venue(s) – come
vers – toward
veut – wants
veux – want
vibrer – vibrate
vidéo – video
vieil – old
vieille – old
viendrait – would come
viens – come
vieux – old
vite – fast
voir – to see
vois – see
voisine(s) – neighbor(s)
voit – sees
voix – voice

vos – your

votre – your

voulait – wanted

vous – you

vraiment- really

vu – seen

- Y -

y – there

yeux – eyes

DE LA MÊME AUTEURE

Alice

When Alice, a teenage girl who lives in the south of France, finds out she and her family are moving to San José in a month, she is far from happy. Her friend suggests she make a list of the most important things she wants to accomplish before she leaves. Alice writes four items on her list and sets off on a quest to discover what truly matters to her.

Camille

When Camille finds out her beloved dance teacher, choreographer, and studio owner is leaving, she is worried about her future. Studio Pineapple, where she has been dancing for five years, might close or be sold to someone she won't get along with. But she soon finds out that while changes are hard, they often bring an opportunity to grow and blossom. This third installment of the Alice series can be read as a sequel or independently of the first two stories.

Made in the USA
Middletown, DE
21 July 2022